pour Sandra, mon amoureuse...

HEU-REUX !

christian voltz

rouergue

Grobull

TA TAA !!!
TA TAAAAA

AVIS
À LA POPULATION !

AUJOURD'HUI
EST UN
GRAND JOUR !

AA !!!

**AUJOURD'HUI
EST UN GRAND JOUR,**
car c'est aujourd'hui que votre roi,
le bien-aimé **GROBULL**,
splendeur des pâturages,
taureau-tyran craint et respecté,
gros tas de muscles et de fureur,
président-dictateur général en chef, etc., etc.

C'est aujourd'hui donc,
que votre roi bien-aimé
MARIE SON FILS UNIQUE !
le prince Jean-Georges !

L'épouse n'ayant
pas encore été choisie,
toutes les vaches du pays
sont invitées à se présenter
devant le prince...

... qui décidera !

Comme rien n'est trop beau pour son fils, **GROBULL** a ordonné
à son ministre de ne sélectionner que les vaches les plus jolies,
les plus charmantes. Les plus-que-parfaites !

Je veux être choisie !
Je veux être choisie !
Je veux être choisie !
Je veux être choisie !

Bien malin qui pourrait prédire laquelle le prince va choisir.

Tourne vite la page pour le savoir !

La cérémonie commence.
La première vache à se présenter se nomme Blanche.
Une superbe charolaise à la robe immaculée
et aux pis rebondis !

Quelle graisse tout partout ! Une merveille !

Le prince, pourtant, paraît mal à l'aise… Il semble fort gêné…

Il se recule tout contre ses amis :
le bélier et Ginette (ahhh ! Ginette ! Une belle poulette, qui le suit partout…).
Tout le monde retient sa respiration en attendant la réponse du prince…
… qui lâche timidement :

Non merci, madame…

La belle Blanche s'en va… HORRIBLEMENT VEXÉE !

Je déteste
ces vaches !
Je déteste
les idées
de mon père !!!

Explique-lui !

Déjà une nouvelle beauté se présente,
en se déhanchant, à droite, à gauche.

Sa robe est peignée avec soin.
Elle est séduisante. Et elle le sait...
Elle se voit déjà une couronne sur la tête,
comme dans ses rêves les plus fous !

Pourtant...

Au revoir
mademoiselle...
M... Merci
d'être venue.

Immédiatement, une splendide blonde d'Aquitaine s'approche.
Quelle élégance et regardez-moi – non mais regardez-moi ! –
ces belles mamelles !

                              ... Ça ne convient pas...

C'est au tour d'une béarnaise,
à la robe dorée comme les blés.
A-t-on déjà vu d'aussi belles cornes ?

                              ... Suivante !

Une belle vosgienne aux yeux de braise
et aux cils démesurés...

                    ... Au revoir et merci...

Une camarguaise...

                ... J'ai pas très envie...

Une montbéliarde...

            ... Non plus...

MINISTRE !!!

**CONVOQUE IMMÉDIATEMENT
TOUTES LES TRUIES
DU ROYAUME !**

(Enfin, les plus jolies, quoi.)

**ON N'EST PLUS AU MOYEN ÂGE !
JE NE VEUX PAS
D'UN MARIAGE RATÉ
POUR MON FILS !
JE VEUX UN MARIAGE D'AMOUR !!!
ET TANT PIS
SI SA FEMME N'EST PAS
UNE VACHE...**

(Tant que ce n'est pas une chèvre !)

Parce que L'ESSENTIEL, HEIN ?
C'est quoi L'ESSENTIEL ?
L'ESSENTIEL, C'EST QU'IL SOIT *HEU-REUX* !

Et il va être **HEU-REUX,**

c'est moi qui vous l'dis !

Oui Majesté !

Bien parlé, Majesté !

Quel fayot !

HEU-REUX !

Vous avez
parfaitement raison,
Majesté !

Bientôt, le palais résonne des rires excités
de toutes les plus belles truies
qui accourent des quatre coins du pays.

Pensez donc !
Jusqu'alors, les princesses ont toujours été des vaches.
Devenir princesse ! Jamais elles n'auraient pensé
cela possible, et aujourd'hui... peut-être...

Qui sait ?

Tourne vite la page pour le savoir !

Mais, tout au long de la parade,
la réponse du prince reste la même...

Désolé,
vous êtes bien jolie...
... mais non...
... au revoir...

À vos ordres, Majesté !

HEU-REUX !

Des riquiqui, des haut perchées,
des dodues, des chevelues,
des rebondies, des empâtées,
des mal fichues, des effrontées,
des farfelues, des toutes poilues...

QUEL DÉFILÉ !

Aujourd'hui,
chacune a sa chance
d'accéder au trône !
Même une Cendrillon
peut devenir princesse !

Jean-Georges va-t-il enfin trouver chaussure à son pied ?   Vous y croyez encore, vous ?

Plus personne n'y croit, car c'est toujours la même rengaine :

UNE POULETTE !
UNE COCOTTE !!
ON AURA
TOUT VU !!!

MAIS...

MAIS... ON NE POURRA PAS DIRE QUE JE NE SUIS PAS MODERNE, MOI !

DU BONHEUR POUR TOI, MON FILS ! DE L'AMOUR !!!
(Et tant pis si... si elle n'a même pas de mamelles !)

JE T'ORDONNE D'ÊTRE
HEU-REUX !!

Alors, choisis qui tu veux... qu'on en finisse, avant que je devienne chèvre !

Alors, je choisis **Hubert,** le bélier !

Lui et moi, on s'aime en secret
depuis si longtemps !

YiPiii !!!

Et donc, ils se marièrent, vécurent heureux, et...

... et voilà !

vive les mariés !

L'essentiel,
c'est qu'ils soient
HEU-REUX.

N'est-ce pas, Majesté ? .

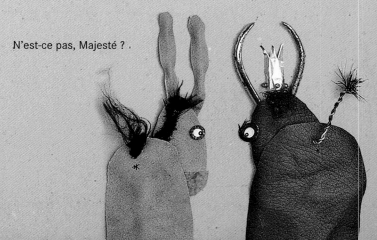